# Les statuettes

C/ Trafalgar, 10, entlo. 1ª
08010 Barcelone (Espagne)
Tél. (+34) 93 268 03 00
Fax (+34) 93 310 33 40
fle@difusion.com

www.difusion.com

**Collection**
« Alex Leroc, journaliste »

**Auteur**
Christian Lause

**Édition**
Agustín Garmendia et Eulàlia Mata

**Conception graphique et couverture**
Cay Bertholdt

**Illustrations**
Javier Andrada

**Enregistrements**
**Voix :** Christian Renaud
**Coordination des enregistrements :** Mireille Bloyet
**Studio d'enregistrement :** CYO Studios

**Remerciements**
À Carine Bossuyt pour son aide et ses conseils.

ISBN (sans CD) : 978-84-8443-197-8
ISBN (avec CD) : 978-84-8443-399-6

Dépôt légal : B-31.023-2007

Imprimé en Espagne par Novoprint, S.A.

# Les statuettes

Christian
Lause

collection

Alex Leroc,
journaliste

**Alex Leroc** est journaliste, il travaille pour *L'Avis*, un magazine belge. Le magazine s'intéresse principalement aux gens célèbres. Il enquête aussi sur les scandales qui choquent la société. Alex est français mais vit à Bruxelles, où se trouvent les bureaux du magazine. Il se déplace très souvent en France.

*Dans cette histoire, vous allez rencontrer :*

**Alex Leroc.** Un journaliste qui vit uniquement pour son travail. Il a une conviction et il la répète tout le temps : « Le monde est intéressant quand on lui pose des questions. » Il est toujours en retard, son travail lui prend tout son temps.

**Jacky.** Photographe de presse et collègue d'Alex. Pour être en pleine forme physiquement, il passe beaucoup de temps dans une salle de gym. Il manque de confiance en lui et il tombe amoureux de toutes les femmes qu'il rencontre. Enfin, il est souvent jaloux d'Alex.

**Nina.** L'autre collègue d'Alex, jeune femme intelligente, experte en art. Elle pratique aussi le *kick boxing* mais elle compte surtout sur son intuition pour résoudre les affaires délicates.

**Pierre Dulac.** Le patron de *L'Avis*. Il est un peu autoritaire et très impatient.

**Aloa.** Ex top-modèle ; à trente-cinq ans, sa vie vient de changer radicalement : elle écrit maintenant des chansons et elle les interprète elle-même. Elle a été victime d'une escroquerie et veut le démontrer pour récupérer son argent.

**Pol Klein.** Un officier de police pas comme les autres, ses méthodes ne sont pas toujours conventionnelles mais ses informations sont précieuses.

**Étienne Larmagnac.** Un escroc prêt à tout si ça peut lui rapporter de l'argent.

J'ai toujours refusé d'accompagner ma collègue Nina à un combat de *kick boxing*. Mais cette fois je ne trouve pas d'excuse : c'est dimanche, il est 15 heures et Nina me demande de la conduire et d'assister à son combat.

— Nina, tu comprends pas[1] ? Le *kick boxing* est un sport violent ! Je ne veux pas voir ça. Je déteste la violence.
— Ne t'inquiète pas : tu sais, pour l'instant je fais seulement du *light-contact*, ce n'est pas encore du *full-contact*.
— Tu sais bien[2] que je suis très mauvais en anglais. Qu'est-ce que ça veut dire, tout ça ?
— Eh bien, ça veut dire que je touche à peine mon adversaire, ce qui compte c'est le mouvement.
— Et tes adversaires, hein, comment peux-tu être sûre qu'elles contrôlent leurs mouvements ?

Je ne veux pas assister à un combat de Nina. Je déteste les arts martiaux, surtout quand ce sont des femmes qui les pratiquent, et surtout quand c'est Nina. J'ai peur pour elle, mais comment lui dire ça ?

Mon portable sonne ! C'est le patron qui m'appelle. Nous avons une possibilité d'interviewer Aloa, la chanteuse et ex-top modèle. Aloa est en visite surprise à Bruxelles et *L'Avis* est le seul magazine à le savoir. Voilà une bonne excuse pour moi !

— Désolé, Nina, tu me montreras ton talent au combat un autre jour. Le travail m'appelle.

---

[1] En français oral, le **ne** de la forme négative est souvent absent.
[2] Ici, **bien** est utilisé pour renforcer l'affirmation, il veut dire « vraiment ».

— Tu sais Alex, tu t'inquiètes pour moi, mais moi, je m'inquiète pour toi : tu travailles trop !

— Ciao Nina, bonne chance ! J'ai quinze minutes pour traverser la ville. À moto, pas de problème !

Je gare ma moto devant la porte de l'hôtel Président juste au moment où Aloa sort d'un taxi : il pleut mais elle porte des lunettes de soleil. Qu'est-ce que la plus belle chanteuse du monde vient faire à Bruxelles sans avertir personne ? Mystère ! J'essaie de l'approcher, de lui parler mais elle pénètre sans dire un mot dans le hall de l'hôtel puis disparaît dans l'ascenseur. Elle n'a jamais accordé de véritable interview aux journalistes depuis qu'elle n'est plus top-modèle et qu'elle est entrée dans la chanson comme auteur compositeur[3]. J'insiste mais les réceptionnistes de l'hôtel me poussent vers la sortie.

Ce n'est pas la première fois que ça m'arrive, de me déplacer inutilement, et ce ne sera pas la dernière. Ça fait partie du boulot[4]. Alors, pour perdre un minimum de temps je me déplace à moto, je passe entre les voitures : parfois, c'est dangereux mais c'est moins stressant que de passer des heures dans les bouchons[5].

[3] Certaines professions n'ont pas de féminin (docteur, professeur, auteur, etc.).
[4] Familier : travail, activité.
[5] Familier : on dit aussi « embouteillages ». Dans les grandes villes, sur les routes, s'il y a beaucoup de voitures immobilisées, on dit qu'il y a des **bouchons**.

## Lundi, 9 heures

Je m'assieds à mon bureau mais je n'ai pas le temps d'allumer mon ordinateur parce que Jacky, mon collègue, apparaît, visiblement très fâché :

— La machine à café ne fonctionne pas, c'est toujours à moi que ça arrive. C'est incroyable : pour une fois que j'ai besoin d'un café, y'en a pas[6] !
— De toutes façons, ce café est très mauvais ! Laisse tomber[7], je t'invite, on va prendre un vrai café à L'Escale. Allez, viens, j'ai exactement une demi-heure avant d'aller voir le patron.

J'aime bien Jacky, mais il croit toujours que le monde entier est contre lui, même les machines à café...
Au bar L'Escale, on connaît tout le monde. Au moment où on entre, un client s'approche de nous :

— Salut les paparazzi ! Alors, est-ce que la princesse se marie avec son jardinier cette semaine ? Qu'est-ce que vous allez encore inventer ? Ah ah ah !
— Salut !

Je ne réponds pas à ce genre de provocations, surtout quand ça vient de quelqu'un qui boit de la bière à neuf heures du matin. Nous, on n'a rien à voir avec les paparazzi, on fait des interviews d'acteurs, de chanteurs, on raconte leur vie. C'est normal : ce sont eux qui passionnent les gens.

---

[6] En français oral, on dit **y'en a** (au lieu de « il y en a ») et **y'en a pas** (au lieu de « il n'y en a pas »).
[7] Familier : « n'insiste pas ! ».

Au bar, je vois Pol Klein, inspecteur de la police de Bruxelles, dans son habituel costume marron trop petit pour lui. Il a l'air fatigué (il dit qu'il dort seulement quatre heures par nuit) et comme il n'est pas rasé aujourd'hui, il a l'air encore plus triste que d'habitude. Mais en réalité, il n'est pas triste, il est même drôle. Assis au bar, il regarde un exemplaire de notre magazine, il lit à haute voix le sommaire :

— Deux princes vont naître le même jour : la reine attend des jumeaux ! La double vie du roi du rap ! Les deux objectifs de Johnny Depp... Salut! Alors, on dirait qu'il y a une double dose de sensations dans la presse cette semaine ? Qu'est-ce que vous buvez ? Une double Trappiste[8] ? Ou un double whisky ? C'est moi qui offre !

— Salut Pol, jamais d'alcool quand on travaille ! Et toi, tu travailles, là ?

— Bien sûr, personne ne fait autant d'heures supplémentaires que moi dans cette ville. Et de toutes façons, ça fait cinq mois et deux semaines exactement que je bois uniquement de la bière sans alcool, mais ne le dites à personne, c'est un secret ! Vous êtes les seuls à le savoir, avec le barman, évidemment.

— Deux cafés[9].

Pol Klein, c'est notre policier préféré, non seulement on s'entend bien avec lui, mais en plus on a des intérêts communs. Il a de grosses responsabilités comme inspecteur principal mais, curieusement, il passe beaucoup de temps dans certains

[8] Bière belge artisanale, fabriquée par des moines dans une abbaye.
[9] En Belgique on ne précise pas café crème ou café noir, il est toujours servi avec un petit pot de lait. En France, « café crème », « café serré », « noisette », etc.

cafés du centre de Bruxelles, L'Escale entre autres. Il cultive ses relations, comme il dit, il s'informe et il nous informe. On pense que ses méthodes sont parfois un peu particulières : il fréquente des gens pas recommandables et il leur offre toujours à boire. Ça peut sembler bizarre, mais il faut admettre qu'il obtient des résultats. Et les pistes qu'il nous donne font d'excellents reportages.

Je laisse Jacky en grande conversation avec Pol pour retourner au bureau, où j'ai rendez-vous avec mon chef. J'arrive avec trois minutes de retard et je sais qu'il déteste ça. Comment lui expliquer que ce n'est pas de ma faute ? Que la machine à café, Jacky et Pol Klein sont responsables de mon retard ? Décidément, je suis incapable d'arriver à l'heure.

Le chef vient à ma rencontre. Aïe aïe aïe ! Quand il ne me laisse pas le temps d'arriver jusqu'à son bureau, je sais que c'est pour me proposer des missions impossibles.

— Il faut absolument remplacer Nina. Vous[10] devez être à la Galerie Maltaise dans une heure pour faire un article sur un sculpteur à la mode qui expose pour la première fois à Bruxelles.

— Est-ce que Nina a un problème ? C'est sûrement le *kick boxing*, qu'est-ce qui...

— Rien de grave, mon cher Alex, ne vous inquiétez pas, c'est seulement une grippe. Alors, vous allez faire ce reportage. Voilà l'adresse.

[10] Dans les pays francophones, il est normal que les gens se vouvoient (ils se disent « vous » et non « tu ») même s'ils travaillent ensemble depuis longtemps.

— Mais vous savez que je ne m'occupe jamais des événements culturels, je ne vais jamais aux expositions, ni aux concerts de musique classique. Je n'y connais rien. Pourquoi moi ?

— Nina n'est pas disponible, et puis, pour une fois que je vous demande d'interviewer un artiste, vous n'allez pas faire un scandale.

— Justement, moi les scandales, je fais ça très bien : mon travail c'est de faire des scandales, je suis journaliste d'investigation, moi. Je vais chercher ce que d'autres veulent dissimuler. Par contre, faire de la publicité gratuite aux artistes qui s'exhibent, c'est[11] pas mon style !

— Vous nous répétez tout le temps que le monde est intéressant quand on lui pose des questions, vous ne vous posez pas de questions sur l'art contemporain ?

— OK, OK !

De toutes façons, il est inutile de discuter avec mon chef. J'accepte donc le reportage mais c'est surtout pour aider ma collègue Nina qui est malade. J'aime bien ma collègue Nina ; et je ferais tout pour elle.

J'arrive à la Galerie Maltaise sous la pluie, je suis mouillé et de très mauvaise humeur. Je me déplace toujours à moto, ce qui est considéré comme une folie à Bruxelles, où il pleut deux cent dix-sept jours par an. Dans la galerie, les invités sont super élégants et me regardent bizarrement : ils ont raison, je n'ai rien à faire ici. Ils sont beaux, riches et secs, et moi je me sens comme un passager clandestin. Je ne mets jamais de costume, je ne porte

[11] Voir note n° 1.

jamais de cravate ; c'est sûr : impossible quand on se déplace à moto, le plus souvent sous la pluie ! Et puis, dans le milieu des chanteurs et des acteurs, ça ne choque pas de voir un journaliste qui porte une veste en cuir. Ça ne dérange personne, même à Cannes, au Festival[12]. Alors qu'ici, dans cette galerie d'art, je tombe comme un cheveu dans la soupe[13]. Heureusement qu'il y a le buffet avec du champagne et des petits toasts, parce que sinon, dans la salle d'exposition il n'y a rien à voir. C'est curieux, autour de nous il n'y a pas d'œuvres d'art, il n'y a que des toiles blanches fixées sur des cadres en bois.

L'artiste, Ronald Siklosi, n'est pas encore là mais le public ne semble pas du tout impatient. Moi, je me sens mal et j'ai envie de partir en courant. Je bois trois verres de champagne et soudain quelque chose se passe (et ce n'est pas un effet du champagne). Une des toiles blanches est traversée par une cigarette allumée. Siklosi est invisible derrière la toile mais, par le trou de cigarette, il fait passer un papier avec un message. Une des personnes présentes va le chercher et lit le message à haute voix : « *Les chiffres trahissent le chaos initial* ». Ensuite, d'autres messages sortent par d'autres trous de cigarette. Ces messages sont tous aussi bizarres, aussi énigmatiques que le premier. Mais les invités se précipitent sur les petits papiers comme des enfants sur des œufs de Pâques[14]. L'artiste, lui, ne se montre pas. Il réalise sa performance sans apparaître, sans donner d'explications. Cela dure en tout dix minutes. Ensuite, c'est le silence et finalement les gens se mettent à parler, à commenter ce qu'ils viennent de voir, et apparemment, l'expérience les intéresse beaucoup. Moi, j'observe de loin.

---

[12] Célèbre rendez-vous des vedettes du cinéma français et international.

[13] Arriver au mauvais moment (expression idiomatique).

[14] Le dimanche de Pâques, beaucoup de parents dissimulent des œufs en chocolat dans les maisons ou es jardins. Ils disent que les cloches de Pâques ont laissé tomber leurs oeufs et les enfants s'amusent à les retrouver.

Tout à coup, mon attention est attirée par une très belle femme, habillée de manière assez extravagante. Cheveux noirs avec une large mèche blonde, grands yeux maquillés au *khôl* : je la reconnais, c'est Aloa, l'ex top-modèle devenue star de la chanson. J'ai très envie de la rencontrer, est-ce mon jour de chance ? Non seulement elle est extraordinairement belle mais en plus elle est très secrète, et cela attire encore plus la curiosité du public. Est-ce une stratégie ou est-ce sa manière d'être ? Je veux obtenir une interview et sans hésiter je me jette à l'eau[15].

— Vous vous intéressez à Ronald Siklosi, Aloa ?

— Oui, beaucoup, et vous ?

— Pas du tout, je suis ici par obligation ; je suis journaliste à *L'Avis* et je pensais que ma présence ici était une erreur... En réalité, c'est une chance puisque j'ai l'honneur de vous rencontrer. Je m'appelle Alex Leroc, je ne vous dérange pas ?

— Ça dépend, si c'est pour une conversation, pas de problème, mais si c'est pour une interview, pas question !

— Euh, une conversation, bien sûr ! En fait, je suis ici pour interviewer Siklosi. Où est-il ? Vous croyez que j'ai une chance de le rencontrer ?

— Non, aucune chance ! Il est comme moi, il ne fait pas confiance aux journalistes.

Je comprends maintenant pourquoi mon chef m'envoie ici. Mission impossible...

Pas de Siklosi mais j'ai Aloa devant moi. J'essaie ? Après tout, qu'est-ce que je risque ?

---

[15] Familier : prendre l'initiative, oser ; on dit aussi « se mouiller ».

— Aloa, vous pouvez imaginer que c'est absolument inespéré pour un journaliste comme moi de vous rencontrer ici. S'il vous plaît, accordez-moi une interview ! C'est-à-dire, une interview avec un professionnel, avec toutes les garanties. *L'Avis*, c'est une référence, non ?

— Déjà finie la conversation ? On ne peut décidément pas vous faire confiance, à vous, les journalistes ! N'insistez pas. Quand j'étais mannequin, on croyait que je n'avais rien à dire, que j'étais seulement une image. Maintenant que j'écris et chante mes chansons, je suis enfin moi-même. Tout ce que j'ai à dire est dans mes chansons, je n'ai rien d'autre à dire.

— Mais les lecteurs de *L'Avis* seraient tellement heureux de faire connaissance avec la vraie Aloa. Imaginez en gros titre : « Aloa, experte en art moderne ! »

Elle rit.

— Il n'en est pas question. D'ailleurs c'est tout le contraire ! Je n'y connais rien, en art moderne, c'est mon problème.

— Bon, c'est promis, pas d'interview ! Entre nous, alors : que diable venez-vous faire dans cette galerie ?

— Eh bien... je suis venue pour essayer de comprendre pourquoi j'ai perdu une grosse somme d'argent. En fait, j'ai cru que j'étais aussi une femme d'affaires et j'ai cru que Siklosi allait me permettre de gagner beaucoup d'argent, mais j'ai fait une grosse erreur et, au lieu de gagner de l'argent, j'en ai perdu. J'ai été victime d'une escroquerie.

— Une escroquerie ?

C'est à ce moment que Jacky, mon collègue, apparaît. Il vient me chercher pour aller déjeuner[16].

— Une escroquerie ? J'arrive à temps. Excusez-moi de vous interrompre mais je dois vous dire que nous sommes experts en ce domaine. C'est nous qui avons enquêté sur les fausses agences de voyage Wilson, les fausses sociétés de charité Godot, tu te rappelles, Alex, ces escrocs qui allaient sonner aux portes pour demander...?

— Permettez-moi de vous présenter Jacky, mon collègue à *L'Avis*. Jacky, voici... mais tu la reconnais sûrement ?

— Et comment ! Vous êtes une artiste formidable, Aloa. Je suis un de vos fans!

— Enchantée !

— Vous savez, je ne suis pas seulement le collègue d'Alex. Je suis aussi son garde du corps, son entraîneur sportif, son expert fiscal et surtout son meilleur ami : c'est bien simple, il n'est rien sans moi !

Jacky parle en faisant de grands gestes théâtraux. Ah, cette manie qu'il a de draguer[17] toutes les jolies femmes qu'il rencontre ! En fait, il est plutôt timide mais il imite Johnny Depp dans ses numéros de grand séducteur pour lutter contre sa timidité naturelle. De toutes façons, il est évident qu'Aloa lui fait une très forte impression. Je crois qu'elle s'en rend compte. Je vois qu'elle réfléchit intensément. Que prépare-t-elle ?

---

[16] Trois repas en France : petit-déjeuner, déjeuner, dîner ; en Belgique : petit-déjeuner, dîner, souper.
[17] Familier : tenter de séduire une personne, de plaire à quelqu'un.

— Je vous invite à déjeuner tous les deux, dans un restaurant parfait. Ne refusez pas, j'ai une proposition à vous faire.

— Avec plaisir, mais, dites-nous, qu'est-ce que c'est pour vous, un restaurant parfait ?

— Vous allez voir, il y en a un juste en face de la galerie.

Je sors de la Galerie Maltaise sans avoir interviewé Siklosi, mais comme Aloa nous accompagne, tout va bien ! Nous traversons la rue et entrons dans un restaurant qui s'appelle À votre Santé. Aloa commande pour nous ce qu'elle considère un menu parfait : des légumes cuits à la vapeur, sans sauce, du riz croquant et des hamburgers végétaux après une soupe d'asperges. Au dessert, un gâteau sec aux sept céréales. Impossible pour moi de manger ça ! J'appelle le serveur :

— Qu'est-ce que vous avez comme vin ?

— Désolé, pas d'alcool ; il y a de l'eau, des jus de fruits...

— Vous voyez, dit Aloa, pour moi, le restaurant parfait c'est celui où on ne mange pas de viande, où on ne boit pas d'alcool. J'aime trop les animaux, donc je n'en veux pas dans mon assiette. Et l'alcool, c'est terrible, non seulement ça détruit des cellules mais en plus, ça change le goût des aliments. Vous ne mangez pas, Alex ?

— J'ai pris mon petit déjeuner assez tard et j'ai pas faim.

Jacky, lui, prétend qu'il adore ça, que ça lui donne beaucoup d'énergie, etc, etc. Il dit n'importe quoi quand il drague.

Pendant un court silence nous nous observons puis Aloa se met à parler :

— J'ai une bonne nouvelle pour vous ! Vous voulez m'interviewer ? Eh bien, c'est à vous que je choisis de raconter ma vie. Je vous offre l'exclusivité de cette interview, à vous, les journalistes de *L'Avis*. Je vous propose un marché : je vous raconte tout ce que vous voulez sur ma vie, ma vraie vie, autant de pages que vous voulez, vous prenez autant de photos que vous voulez...

— En échange de... ?

— Comme je vous l'ai dit, j'ai été victime d'une escroquerie. La police refuse de m'aider mais vous, vous pouvez identifier deux personnes et prouver que ce sont des complices.

— D'accord, dit Jacky sans hésiter.

Elle sait que nous, journalistes, pouvons enquêter là où parfois la police n'intervient pas. Je suis plus prudent que Jacky :

— Heu, d'abord, quelques mots d'explication, non ?

— Vous ne connaissez pas Siklosi, dit-elle, mais pourtant il est très à la mode : tout le monde en parle. On en parle tellement que je ne me suis pas méfiée et j'ai été manipulée.

— Par lui ? Par Siklosi ?

— Pas du tout ! Par deux hommes qui m'ont fait croire que j'allais réaliser une excellente affaire et qui m'ont volé 20.000 euros.

— Comment ?

— Il y a trois mois, je suis venue à Bruxelles, pour participer à un programme de la télévision belge et j'ai rencontré un homme, un certain Jan, qui m'a conseillé d'investir dans des œuvres d'art. Il m'a convaincu de lui acheter une statuette signée de Siklosi pour 900 euros.

— Une statue authentique ?

— Oui. Ce Jan était un type plutôt élégant, très poli, il parlait de manière très convaincante. Ensuite, de retour à Paris, comme j'ai raconté à tout le monde autour de moi que je possédais une statue de l'artiste hongrois, je n'ai pas été surprise que quelqu'un me contacte pour l'acheter.

— Vous l'avez vendue ?

— Bien sûr, il me proposait 2 000 euros. Après cette bonne affaire, j'ai acheté de nouveau à ce Jan plusieurs statuettes pour 2 000 euros que j'ai vendues ensuite facilement pour 3 500 euros à mon client.

— Je commence à comprendre.

— Mon client m'a demandé si j'avais d'autres statues, il m'a dit qu'il en voulait plus, à n'importe quel prix. J'ignorais évidemment que l'acheteur était complice du vendeur. Moi, je pensais être une habile négociante en œuvres d'art. J'ai acheté à Jan une série de statuettes qu'il me proposait pour 20 000 euros. Ces statuettes étaient grossièrement sculptées et enveloppées de papier de toutes les couleurs. Elles étaient bizarres, sincèrement je les trouvais très laides, mais ça m'était égal, je croyais que j'allais les vendre facilement pour le double du prix et réaliser un super bénéfice.

— Evidemment l'acheteur a disparu ?

— Bien sûr, les deux escrocs ont disparu sans laisser leur carte de visite. Et je suis propriétaire d'une série de statues de Siklosi, mais elles n'ont aucune valeur et personne me les achètera. Ces hommes ont commis un délit mais je ne peux pas le prouver.

— C'est effectivement une escroquerie mais c'est difficile à démontrer, dit Jacky. Il faut prouver que ces deux personnages étaient complices, qu'ils se connaissaient. C'est le seul moyen d'annuler cette vente.

— Vous êtes journalistes, vous avez des moyens d'action que je n'ai pas : trouvez mes voleurs.

— Je suis peut-être un peu direct mais 20.000 euros, est-ce que c'est une grosse somme d'argent pour une star de la chanson comme vous?

— Je ne suis pas aussi riche que vous l'imaginez, monsieur Leroc, et de toutes façons, le plus important pour moi c'est d'arrêter ces malfaiteurs : je déteste les gens malhonnêtes, je ne peux pas admettre que ces deux personnages continuent à agir comme ça, en toute liberté.

— Nous allons vous aider à récupérer votre argent, affirme Jacky. Nous allons chercher ces escrocs partout. Ces gens-là pensent qu'ils peuvent manipuler tout le monde, mais un jour ou l'autre ils font une erreur. Il suffit d'être là au bon moment, n'est-ce pas Alex ?

Jacky le justicier ! Il se prend pour Clark Kent, alias Superman. Je vois bien qu'il est sous le charme d'Aloa et que son intérêt n'est pas seulement professionnel. Elle insiste pour me convaincre.

— Si vous arrivez à prouver que j'ai été victime d'une escroquerie, je vous offre l'exclusivité de ma première interview. Je vous propose même un titre: « La vraie Aloa, pour la première fois ! ». Vous allez doubler les ventes de votre magazine !

Avec cet argument, elle arrive à me convaincre. Après tout, ça vaut la peine d'essayer !

— D'accord, nous ferons le maximum.

Elle est tellement heureuse qu'elle nous embrasse chaleureusement. Jacky en est visiblement troublé. Avant qu'on ne se sépare, elle nous donne quelques éléments importants pour identifier les escrocs. Elle se souvient surtout du costume vert que portait Jan, l'escroc, de sa haute taille (plus d'un mètre quatre-vingt dix)[18] et de ses manières d'aristocrate.

En sortant du restaurant végétarien, Jacky retourne directement au bureau tandis que moi, mort de faim, je passe par la Place Jourdan, où on mange les meilleures frites de Bruxelles[19]. Il faut dire qu'en Belgique, elles ont une saveur incroyable. Et ici, dans une baraque installée au milieu de la place, même les Rolling Stones venaient en manger après leur concert. Des brochettes de viande,une barquette de frites avec de la mayonnaise : c'est le paradis pour 2,50 euros ! Et zut[20] pour la diététique, je laisse ça aux autres, à ceux qui ne sont pas en bonne santé.

Par où commencer ? Je voudrais d'abord savoir qui est ce Siklosi. Pourquoi tout le monde parle de lui alors que personne n'achète

---

[18] En Belgique, on dit « nonante » et pas « quatre-vingt-dix ». On dit aussi « septante » et non « soixante-dix ».

[19] Les pommes de terre frites : on en consomme beaucoup en France aussi, les Américains parlent de « french fries » mais pour les Français leurs voisins belges sont de gros mangeurs de frites et beaucoup de blagues circulent à ce propos.

[20] Zut est une manière un peu plus élégante de dire « merde ».

ses œuvres ? Je connais une personne qui a certainement les réponses à toutes ces questions : Nina.

Je sonne chez elle et j'apparais avec un masque blanc de protection anti-virus sur le visage. Elle éclate de rire.

— Tu sais, ne t'inquiète pas, c'est pas grave, c'est même pas une grippe, c'est seulement un gros rhume, j'ai pris froid dans les vestiaires, après mon combat, dimanche.

— Gagné ?

— Oui mais parce que mon adversaire a fait une faute.

— Tu as reçu un coup? Oh Nina, c'est tellement...

— Ça va, ça va, je te dis ; j'ai seulement pris froid en sortant de ma douche. Je suis enrhumée et j'ai tellement mal à la tête que je préfère me reposer quelques jours.

— Tant mieux ! J'étais inquiet pour toi, comme tu n'es jamais malade...

— Alors, raconte-moi, je suis sûre que ce n'est pas pour me parler de virus que tu es venu...

— Effectivement, c'est pour une histoire d'œuvres d'art.

— Tu t'intéresses à l'art, toi ? Bravo, tu m'étonnes !

— C'est à cause de Jacky : tu sais qu'il ne peut rien refuser à une jolie femme et cette fois-ci il s'agit d'Aloa, c'est-à-dire une des plus belles femmes de la planète Terre. Maintenant nous avons une enquête très difficile à faire : retrouver les vendeurs des vraies sculptures de Siklosi qui n'ont aucune valeur.

— Tu peux pas être plus clair ? Je ne sais pas si c'est à cause de mon rhume mais je ne comprends pas très bien.

— Bon, je t'explique : c'est une curieuse histoire : *L'Avis* aura le privilège de publier un reportage sur Aloa, si nous arrivons à identifier deux escrocs qui lui ont vendu des sculptures de Siklosi.

— Mais je ne savais pas que Siklosi faisait de la sculpture...

— Qu'est-ce qu'il fait alors ?

— Il fait de « l'esthétique relationnelle ».

— Qu'est-ce que c'est que ça ?

— Eh bien, c'est clair, non ? Esthétique, c'est-à-dire conception de la beauté, et relationnelle, c'est-à-dire pour provoquer des relations entre les gens.

— Et comment peut-on faire ça ?

— Eh bien, par exemple en organisant des expos[21] comme celle à laquelle tu as assisté à ma place.

— Donc, si je comprends bien, Siklosi vend ses idées mais pas ses sculptures ?

— Exact ! C'est un provocateur, il travaille beaucoup pour la publicité. Ce n'est sans doute pas un génie mais comme il ne respecte aucune convention, aucun pouvoir, il attire l'attention. Tu veux que je te raconte une anecdote, pour te donner une idée du personnage ?

— OK !

— Un jour, on lui a demandé de réaliser un projet sur le thème du « mouvement », on lui a proposé d'exprimer dans une sculpture l'idée que tout change tout le temps autour de nous. Il a tout simplement utilisé des statues de cire (comme celles du Musée Grévin[22]) et les a placées derrière une vitre, exposées en plein soleil. Pendant toute la durée de l'exposition les statues ont fondu sous l'effet de la chaleur. C'était sa manière d'interpréter le mouvement. Amusant, non ?

— Ouais[23], pas mal...

---

[21] Abréviation familière d'« exposition ».

[22] Musée où des personnages célèbres sont représentés en statues de cire, comme le Musée de Madame Thussaud à Londres.

[23] Familier : « oui ».

— En tous cas, les statues que possède Aloa n'ont aucune valeur, c'est clair !

— Pourquoi ?

— Eh bien, parce que ce sont des objets qu'il récupère et qui lui servent à illustrer ses idées. Après les expositions, il les jette à la poubelle. Il dit toujours que ses productions sont biodégradables.

Mais soudain, Nina change de ton, son regard s'illumine :

— Mais Alex, tu te rends compte ? C'est fan-tas-tique, tout ça : on doit absolument obtenir cette interview d'Aloa. Tout le monde achètera *L'Avis* pour tout savoir sur elle. On va faire une interview historique ! Comme le reportage de Playboy sur Marilyn Monroe en 1953. C'est génial ! Tu m'entends ? Génial !

Le lendemain, je vais à L'Escale pour voir Pol Klein, mon informateur n° 1. Au moment où j'entre dans le bar, il est en train de jouer au poker avec trois types[24] bizarres qui semblent enchantés de passer du temps avec l'inspecteur principal. Qui manipule l'autre ? Pour moi c'est clair, je le crois plus habile que ses partenaires de jeu. J'attends la fin de sa partie et j'en profite pour manger un hamburger, debout à côté du bar. Viande élastique et pain sec : pas extra comme menu ! Mais je n'ai pas le temps de me préoccuper de diététique. Enfin, Klein termine sa partie et je peux lui parler :

[24] Familier pour « hommes ».

— Salut Pol, comment fais-tu pour rentabiliser tout ce temps que tu passes ici ? Tu n'as même pas un ordinateur portable pour prendre note de tout ce que tu apprends.

— Tout est là ! Ça, c'est mon disque dur, dit-il en se frappant la tête.

— Dis-moi, t'aurais pas un escroc hyperactif sur ton disque dur actuellement ?

Je lui explique l'affaire qui m'occupe et je lui décris physiquement l'homme que je recherche.

— Écoute, je ne sais pas si c'est le même homme, mais le géant en costume vert dont tu me parles et ses manières d'aristocrate, ça me fait penser à un type qui, depuis deux ans, accumule les escroqueries et les vols. Je finirai bien un jour par l'attraper. Tiens, si tu veux le voir, aujourd'hui il se présente devant un tribunal, au Palais de Justice... Comme victime, malheureusement ! Tu peux imaginer ça ? Si tu me trouves une bonne raison pour l'arrêter, je t'aiderai !

Pol Klein sait bien capter les mouvements suspects de sa ville. Bruxelles est une ville assez petite, assez provinciale en fait : on n'y est pas aussi anonyme qu'on l'imagine. Pol fréquente beaucoup de gens et son équipe d'informateurs est très efficace. Il a un instinct et une mémoire visuelle extraordinaires. Je sens que c'est la bonne piste.

Le Palais de Justice, on le repère facilement : c'est un bâtiment énorme, plus grand que la basilique Saint-Pierre à Rome, qui

domine le quartier populaire des Marolles[25]. J'aime ce quartier où les gens parlent avec l'accent belge[26].

Nous entrons dans le Palais et nous allons directement à la salle où on juge l'affaire de « notre » type. Il s'appelle Larmagnac, il parle fort et accuse un jeune homme de tous les crimes. Il porte un costume dans les tons verts et prend des attitudes de grand seigneur offensé. Je sors mon téléphone portable pour prendre une photo discrètement.

J'appelle Aloa, je lui envoie un SMS[27] avec la photo de Larmagnac et la réponse est immédiate : « c.lui »[28]. Larmagnac et Jan sont le même homme. Voilà déjà une première certitude !

Larmagnac se présente comme antiquaire. Il accuse le jeune homme d'avoir fait tomber sa table d'exposition d'antiquités sur un marché, en passant avec sa voiture. Comme le jeune homme était trop jeune pour conduire sans accompagnateur, il a commis une infraction grave. En plus de l'amende, il devra assumer toutes les conséquences financières de l'accident. Larmagnac prétend qu'il a été blessé et qu'il a dû se faire opérer à la jambe à cause de l'accident. Il exige beaucoup d'argent, une véritable fortune !

Nous allons voir le jeune homme pendant une interruption de l'audience. Il est très démoralisé. Il imagine qu'il va payer toute sa vie pour ce stupide accident.

— Pas de chance, hein, d'avoir un adversaire comme ce monsieur Larmagnac...

---

[25] D'un côté du Palais de Justice, il y a les **Marolles**, quartier populaire et pittoresque, et de l'autre il y a les quartiers chics de l'avenue Louise, l'avenue la plus chère de Bruxelles avec ses magasins de luxe.

[26] L'accent belge, tel qu'il est imité par les Français, est un accent bruxellois très prononcé, mais il y a aussi l'accent wallon et l'accent flamand (pour les Flamands, le français est une langue étrangère).

[27] SMS : on dit aussi « texto ».

[28] « C'est lui » en langage SMS.

— J'ai juste touché une caisse qui débordait sur la rue, je n'ai pas touché sa table, il ment. Et je sais très bien conduire, je n'ai pas eu de chance, je n'ai pas eu de chance...

— Nous aussi, on pense qu'il ment. On voudrait vous parler, ainsi qu'à votre avocate. Moi c'est Alex, lui c'est Jacky, on travaille pour le magazine *L'Avis*.

— Qu'est-ce que vous me voulez ?

— Nous nous intéressons à votre adversaire, ce Larmagnac, et si nous pouvons prouver que c'est un menteur dans votre affaire, ça nous aidera à prouver qu'il a aussi menti dans une autre affaire. Vous voulez bien nous présenter à votre avocate ?

L'avocate entend qu'on parle d'elle, se tourne vers nous et nous regarde avec méfiance. Jacky est plus rapide que moi : il lui expose les raisons de notre présence en utilisant des termes juridiques et en prenant des airs de Casanova. Elle me sourit. Je lui souris aussi. Bon début !

Coup de chance, pendant que Jacky fait son numéro de charme, je jette un coup d'oeil rapide sur le dossier, ce qui me permet de constater un élément important : Larmagnac s'est trompé dans sa déclaration. Il prétend qu'il a été touché à la jambe gauche alors qu'il s'est fait opérer de la jambe droite. C'est avec des détails comme celui-là qu'on gagne un procès. En attendant, je gagne déjà la confiance de l'avocate. Celle-ci transmet notre découverte au juge qui interrompt la séance. Moi, je ne veux surtout pas être vu par Larmagnac et j'emmène Jacky rapidement vers la sortie. Le jeune homme, qui pense qu'il a maintenant une chance de gagner son procès, nous fait un signe : le V de la victoire.

Jacky, lui, n'est pas content. Il me lance un regard méchant. Pourquoi ? On sort du Palais de Justice et je me tourne vers lui :

— Tu as vu ce salaud[29] de Larmagnac ? Il essaie de profiter de toutes les occasions ! Ce pauvre garçon risquait de devoir payer toute sa vie pour ce stupide accident. Je suis content de ma découverte, Larmagnac a menti, et son mensonge est tellement évident que le juge ne peut plus lui donner raison.

Mais Jacky ne m'écoute pas, il a l'air très fâché, même furieux.

— Tu crois que je n'ai pas compris ton jeu ? C'est facile, ça, je fais tout le travail, j'installe un climat de confiance et toi tu en profites pour draguer l'avocate. J'ai bien vu que vous avez échangé un sourire.
— C'est pas vrai, tu me fais une crise de jalousie ?
— Non, pas du tout, mais je pense que tu aimes me faire passer pour un idiot aux yeux des femmes.
— Attends, qu'est-ce qui t'intéresse, toi, réussir notre reportage ou savoir qui de nous deux a le plus de succès avec les femmes. Écoute, si je t'ai blessé je le regrette, mais je t'assure que je n'avais aucune intention de draguer cette avocate. Allons, Jacky, tu me crois ?
— Ça va, ça va !

Il faut que j'explique au patron que nous nous occupons d'une affaire de première importance : il faut qu'il nous laisse du temps !

— Croyez-moi, nous enquêtons sur une affaire d'escroquerie. J'ai la conviction que ça va faire un super reportage.

---

[29] Insulte adressée à quelqu'un considéré comme méchant.

— Ça m'est égal, Alex, je suis fatigué de vos initiatives, de vos convictions, de vos retards continuels.

— Mais ça nous permettra d'interviewer Aloa. C'est une occasion fantastique, non ?

— Je vous donne cinq jours, et si vous revenez pas avec une super interview d'Aloa, c'est la fin de votre carrière à *L'Avis*.

Cinq jours : le patron est de plus en plus inhumain !

## Jour 1

Je téléphone à Jacky, il n'est pas chez lui, je l'appelle sur son portable, il ne répond pas non plus. À quoi ça sert un téléphone portable éteint ? Je connais Jacky, il est sûrement à la salle de gym, et son portable est éteint dans son sac de sport. Un demi jour de perdu à cause d'activités sportives. C'est pas croyable ! Je suis obligé d'aller le chercher, moi qui déteste entrer dans une salle de gym. C'est un univers absurde : comment peut-on courir sur un tapis roulant, sans se déplacer vraiment, les yeux fixés sur un chronomètre, avec comme seul paysage une énorme affiche murale représentant une forêt en automne : c'est pathétique ! Mais Jacky adore avoir de beaux muscles. Après tout, c'est son problème.

— On y va, Jacky, on a très peu de temps devant nous.

— Travailler pour Aloa, moi, ça me stimule ! On commence par où ?

— Grâce à Pol Klein, je sais où trouver Larmagnac, il m'a donné son adresse.

— Parfait, alors on passe à l'action. On prend ma voiture, bien sûr !

Dans la vieille Renault 5 de Jacky, nous suivons Larmagnac partout où il va. Il est accompagné d'un type, sûrement un complice. Nous essayons de savoir ce qu'ils trafiquent tous les deux : ils se déplacent dans une camionnette Ford Transit. En fin d'après-midi, ils déchargent des objets lourds dans un garage situé dans la banlieue bruxelloise. Nous passons la soirée à attendre devant le garage. Mais ils ne sortent plus.

**Jour 2**

Larmagnac et son complice ne se déplacent pas. Jacky est au bord de la crise de nerfs...

— Je n'en peux plus de rester assis dans cette voiture, à regarder une porte de garage.
— Et moi, tu crois que je m'amuse ?
— Il pleut, il y a une odeur d'essence insupportable...
— Tu préfères éteindre le moteur et mourir de froid ?

C'est dans ces moments-là que je changerais volontiers mon poste à Bruxelles contre celui d'un paparazzi à Saint-Tropez[30]. J'ai un copain qui travaille pour un autre magazine. Lui, il passe son temps à poursuivre les stars sur les plages, avec son appareil photo caché dans sa serviette de bain. C'est un jeu : les chanteurs et les acteurs vont en vacances à Saint-Tropez pour se faire voir et les

---

[30] Port de plaisance sur la Côte d'azur, rendez-vous de la Jet Set.

paparazzi doivent faire semblant de les surprendre. Mais, bon, c'est là toute la différence : je suis un journaliste, pas un paparazzi !

— Qu'est-ce qu'on fait, Alex ? On abandonne ?

## Jour 3

Une occasion d'agir se présente, enfin : les deux hommes sortent du garage, montent dans leur camionnette et démarrent.

— Laissons-les aller où ils veulent ; nous, on va voir ce qu'il y a dans ce garage, dit Jacky.
— D'accord, mais j'y vais, moi ; toi tu restes ici. S'il y a un problème tu m'envoies un message sur mon portable.

Je suis obligé de casser une petite fenêtre pour pouvoir entrer : heureusement que je ne suis pas gros. Le garage est sale et a l'air abandonné. La présence de caisses neuves attire mon attention. À l'intérieur de ces caisses je peux identifier du matériel médical mais tout est cassé : ce sont des scanners, des instruments de précision détruits. Pourquoi conserver ça ? Dans une autre pièce il y a une série impressionnante de meubles et d'objets d'art. Que font tous ces objets accumulés ici ? Je sors mon téléphone portable pour prendre une série de photos mais c'est trop tard : il se met à vibrer, c'est un message pour m'avertir du danger. La porte s'ouvre et Larmagnac apparaît, j'ai juste le temps de me cacher derrière un meuble. Il prend une caisse et passe juste à côté de moi. Pas de chance : en me déplaçant, je touche une sculpture en bronze qui tombe bruyamment. Larmagnac se précipite vers moi, appelle son complice en criant qu'il y a un voleur dans le garage. Je prends un coup au visage, mes lunettes tombent par terre. Je ne vois plus rien. Heureusement, Jacky arrive à mon secours, il repousse mes agresseurs et m'aide à me diriger vers la sortie pour courir ensuite vers la voiture. Les deux complices, armés de barres de métal, n'ont pas l'intention de nous laisser partir tranquillement. Nous sommes poursuivis et quand nous arrivons à la voiture, j'ai l'impression que mes poumons vont exploser. Jacky démarre en première à 4000 tours minute : la Renault 5 est sur le point d'exploser elle aussi.

— Tu fumes trop !

— Je ne fume plus ! Tu sais bien que j'ai arrêté.

— Alors il faut t'entraîner, faire un peu de sport, me dit Jacky, regarde-toi : on dirait que tu viens de faire un triathlon alors que nous avons à peine couru vingt-cinq mètres.

— Ce n'est pas une question de condition physique : si je suis dans cet état, c'est sûrement parce que j'ai un œil blessé et que j'ai perdu mes lunettes. En plus je suis enrhumé, le même virus que Nina, probablement.

Nina ! Il faut l'appeler, on a besoin d'elle.

On se donne rendez-vous chez elle pour faire le point de la situation. Quand elle voit que mon œil est blessé, elle s'inquiète et commence par me soigner avec beaucoup de précautions. Pendant ce temps, je lui explique en détail nos aventures.

— Larmagnac nous a pris pour des voleurs, malheureusement nous sommes repérés. Maintenant, nous avons besoin de toi. Le

garage est une vraie caverne d'Ali Baba, il y a une quantité impressionnante de meubles de style. De belles antiquités. Je suis sûr qu'elles sont volées.

— Décidément, la femme est l'avenir de l'homme[31], dit-elle, à moi de jouer puisque vous êtes hors-jeu !

Quand nous sortons de chez Nina, je vois dans le regard de Jacky qu'il a un problème :

— Qu'est-ce qui se passe ?

— C'est incroyable ! Je risque ma vie, je m'expose pour toi et c'est toi le héros. Moi, personne ne me demande si je vais bien. Personne ne me remercie.

— Jacky, t'as bien vu que c'est elle qui a insisté pour me soigner l'œil, et puis, tu trouves pas que t'exagères avec tes scènes de jalousie ?

— Moi, jaloux ? Pas du tout ! D'ailleurs Nina, c'est ton amour impossible, pas le mien !

— C'est faux, archi-faux[32] ! Tu ne comprends rien : Nina, c'est comme ma petite sœur !

**Jour 4**

Je reçois un coup de téléphone de l'avocate :

— Comment allez-vous, monsieur Leroc ?

— Bof ! Je dois dire que ça pourrait aller mieux. Impossible pour

---

[31] Allusion à un célèbre poème d'Aragon, poète surréaliste français.

[32] Familier. Le préfixe archi- est utilisé, spécialement par les jeunes, pour signifier « très » ou « absolument ».

l'instant de démontrer que Larmagnac est un bandit. Et il me reste deux jours pour y arriver sinon je perds mon emploi.

— Ça pourrait vous intéresser de savoir que grâce à vous, j'ai gagné mon procès. Le juge a donné ses conclusions et considère que Larmagnac a fait de fausses déclarations. Mon client, le jeune homme que vous connaissez, est seulement reconnu coupable d'une infraction au code de la route et paiera uniquement une amende. Je lui conseille même d'attaquer Larmagnac en justice à son tour, pour ses fausses déclarations.

— Enfin, une bonne nouvelle ! Merci de m'informer.

— Merci à vous, monsieur Leroc.

Pendant ce temps, Nina suit Larmagnac dans tous ses déplacements. À midi, elle se trouve dans le même restaurant que lui, assise à une table voisine. Il passe de nombreux coups de téléphone et en reçoit également. Nina ne comprend rien à ses conversations. Soudain, elle capte une courte phrase prononcée par Larmagnac sur son téléphone portable, elle entend très bien parce qu'il parle très distinctement, il veut être sûr d'être compris par son interlocuteur.

— L'accident aura lieu à 15 heures, demain au rond-point Montgomery[33], comme prévu.

Nina nous contacte immédiatement :

---

[33] Il y a beaucoup d'accidents au rond-point Montgomery : c'est un lieu où la circulation est particulièrement difficile.

— Voilà un rendez-vous à ne pas manquer ! Si quelqu'un peut prévoir un accident, c'est probablement pas un vrai accident, n'est-ce pas ? Mais ne me demandez pas ce que prépare Larmagnac, je n'en ai aucune idée.

Est-ce l'erreur que nous attendons ? Je trouve ça étonnant : dans les trains, dans les bars, les gens qui utilisent leur portable racontent leur vie, sans précaution, sans réserve ! Cela peut être très intéressant... Parfois.

**Jour 5**

Il est 14 heures. L'inspecteur principal Pol Klein se trouve aussi au rond-point Montgomery avec quelques hommes. Heureusement qu'il nous fait confiance !

Nous sommes tous plus ou moins dissimulés dans nos voitures quand nous voyons une Peugeot 205 s'immobiliser dans une des rues donnant sur le rond-point. À 15 heures, la camionnette de Larmagnac arrive au rond-point, en fait une fois le tour lentement, puis une deuxième fois et, au moment où elle repasse à la hauteur de la 205, celle-ci démarre et provoque un accident. Ensuite, le conducteur de la 205 tente de s'échapper mais une voiture de police lui bloque le passage et le conducteur est arrêté par les agents. Pol Klein sort d'une autre voiture et s'approche de Larmagnac :

— Police, qu'est-ce qui s'est passé ?

Surpris, Larmagnac fait de grands gestes en montrant ses caisses renversées (ce sont les caisses que j'avais vues dans le garage).

— Vous le voyez bien, non ? Y'en a pour une fortune, c'est du matériel pharmaceutique de haute précision. Tout est détruit ! C'est à cause de ce type, là, avec sa Peugeot : il n'a pas respecté la priorité. C'est moi qui avais la priorité !

L'autre conducteur, le complice, ne dit rien. Il ne répond à aucune question. Jacky et moi nous sommes tout près d'eux, mais nous évitons de nous faire reconnaître de Larmagnac. Pol Klein vient vers nous.

— Il est clair qu'il a essayé de simuler un accident. Larmagnac prétend que le matériel qu'il transportait est détruit. Ce genre d'accident est un moyen classique d'escroquer sa compagnie d'assurances. Je peux l'arrêter, mais je regrette de l'arrêter pour un délit si léger. Il ne risque pas grand-chose, seulement une amende. C'est dommage, quand on sait de quoi ce bandit est capable...

Soudain, j'ai une intuition :

— Pol, on peut vérifier ce que contient la camionnette ?
— Oui.
— Jacky et moi, on t'accompagne.

Klein demande à un de ses agents de vérifier ce qu'il y a à l'intérieur de la camionnette. Larmagnac essaie de s'interposer, se met à crier :

— C'est illégal d'entrer dans un véhicule, c'est comme dans une maison, vous n'avez pas le droit !

— Je vous arrête pour tentative d'escroquerie et j'emporte les éléments nécessaires à l'enquête.

— Vous n'avez pas le droit !

— Disons que j'ai l'obligation de vous arrêter, et vous, vous avez le droit d'appeler un avocat.

Klein m'appelle pour me montrer un album photos, une sorte de catalogue qui se trouvait sur le siège arrière. Ce sont des photos de meubles, de peintures, de bijoux. C'est l'inventaire complet des objets volés que j'ai vus moi-même dans le garage.

— Alex, ceci peut nous intéresser, pas vrai ?

Larmagnac devient fou furieux, il se jette sur Klein pour tenter de lui prendre le catalogue mais deux agents l'immobilisent.

— Donnez-moi ça, c'est illégal, ce dossier m'appartient.

— Si ce dossier vous appartient, pour moi, c'est parfait, il me suffit de vérifier que ce sont des photographies d'objets volés et ça me permet de demander un mandat de perquisition pour aller voir ce qu'il y a dans votre garage. Vous gardez chez vous des objets volés et vous les avez photographiés pour les proposer sur catalogue à vos clients. Un commentaire ?

Cette fois, Larmagnac a perdu la partie. Je m'approche de lui, il me regarde fixement mais il ne me reconnaît pas.

— Vous ne me reconnaissez pas ? C'est peut-être parce que j'ai changé de lunettes ? Mes anciennes lunettes sont tombées dans un garage et elles se sont cassées accidentellement... Je pourrais peut-être faire payer ma compagnie d'assurances ? Qu'en pensez-vous ?

J'envoie un SMS à Aloa et je lui donne rendez-vous à la Galerie Maltaise sans préciser pourquoi. Quand elle arrive, je me trouve derrière une des toiles blanches et je lui fais passer un message par un trou de cigarette. Sur le message j'ai écrit :

*« Votre escroc est arrêté, son complice aussi, les preuves s'accumulent. C'est le bon moment pour dénoncer l'escroquerie. Proposez-moi une date pour l'interview ! »*

Aloa pousse un cri de joie. Elle se sent libre, légère. Et on passe immédiatement à l'interview.

# Après la lecture

**De qui s'agit-il ?**

| Alex | Nina | Aloa | |
|---|---|---|---|
| | | | parle mal l'anglais. |
| | | | pratique un sport de combat. |
| | | | porte des lunettes de soleil même s'il pleut. |
| | | | se déplace à moto même s'il pleut. |
| | | | ne travaille pas pour *L'Avis*. |
| | | | travaille trop. |
| | | | est artiste. |

## Chapitres 3 et 4

**1. Complétez les phrases.**

**a.** Jacky est très ........................... parce que la machine à café ne fonctionne pas.

**b.** Pour une fois, Jacky a ........................ de café.

**c.** Au moment où on entre, un client ............................ de nous.

**2. Moi, toi, lui/elle, nous, vous, eux/elles ?**

**a.** Les acteurs et les stars de cinéma, c'est ........................... qui intéressent les gens, dit Alex.

**b.** Un whisky, une Trappiste ? C'est ............................ qui offre, dit Pol.

**c.** ........................... on n'a rien à voir avec ce genre de journalisme, pense Alex.

**3. Expliquez en quelques lignes qui est Pol Klein et quelle est sa relation avec Alex Leroc.**

## Chapitres 5 et 6

1. Comment est-ce qu'Alex devine qu'il va s'occuper d'une mission difficile ?
2. Pourquoi est-ce qu'Alex n'est pas content d'aller interviewer un sculpteur ?
3. Pourquoi est-ce qu'il remplace Nina ?
4. Qu'est-ce qui distingue Alex des autres personnes présentes dans la galerie ?
5. Qu'est-ce qui est original dans cette exposition de l'artiste Siklosi ?
6. Est-ce qu'Alex s'intéresse finalement à l'expérience artistique ?

## Chapitres 7 et 8

1. Pourquoi peut-on dire qu'Aloa n'est pas une chanteuse comme les autres ?
2. Comment se comportent Aloa et Siklosi face aux journalistes ?
3. Quel est l'argument d'Aloa pour refuser les interviews ?
4. Qu'est-ce qui fait rire Aloa ?

**Essayez de qualifier Jacky. Quelle est la série d'adjectifs qui lui correspond le mieux ? A, B, ou C ? Vous pouvez ajouter d'autres adjectifs.**

| A | B | C |
|---|---|---|
| musclé | dragueur | amoureux |
| dragueur | extroverti | introverti |
| maladroit | sympathique | prétentieux |
| timide | intelligent | intuitif |
| sympathique | beau | solide |
| bavard | fort | désagréable |
| ...................... | ...................... | ...................... |
| ...................... | ...................... | ...................... |

## Chapitres 10 et 11

1. Quel est le marché qu'Aloa propose aux deux journalistes ?

2. Imaginez ce que dit le serveur du restaurant « À votre Santé » ?
   Désolé, pas d'alcool, il y a de l'eau, des jus de fruits, **du, de la, de l'**.

3. Proposez un exemple de ce qu'est pour vous un bon menu.

Entrée : _____

Plat principal : _____

Boissons : _____

Dessert : _____

**Remettez dans l'ordre chronologique les différentes phases de l'escroquerie, racontées par Aloa.**

a. Quelqu'un m'a acheté cette statuette à un prix plus élevé.

b. Mon acheteur m'a dit qu'il en voulait d'autres.

c. Un type m'a vendu une statuette d'un artiste célèbre à un prix très bas.

d. Mon acheteur et mon vendeur ont disparu et je ne les ai pas revus.

e. J'ai acheté d'autres pièces parce que je pensais continuer à les vendre très cher.

f. En résumé, j'ai payé très cher des statuettes qui n'ont aucune valeur.

g. Je suis venue à Bruxelles pour participer à un programme de la télévision belge.

Chapitres 13 et 14

**1. Arrêtez-vous un moment sur le personnage d'Aloa, cette femme de trente-cinq ans qui était modèle et qui est devenue chanteuse.**

a. Pourquoi croyez-vous qu'elle n'aime pas les journalistes ?

b. Pourquoi pensez-vous qu'elle n'est pas aussi riche que le pense Alex ?

c. Qui est-elle, comment la voyez-vous ?

## 2. Terminez les phrases.

**a.** Aloa :   Vous, les journalistes, vous avez des moyens
d'action que...

**b.** Aloa :   Je ne suis pas aussi riche que...

**c.** Alex :   Aloa est tellement heureuse de savoir que nous
allons l'aider qu'...

## 3. Pour écrire l'article sur Aloa, quels seraient les titres adéquats et quels seraient les titres inadéquats ?

| Titre | adéquat | inadéquat |
|---|---|---|
| **a.** Aloa est aujourd'hui un top-modèle heureux. | | |
| **b.** Aloa : la vraie vie d'une nouvelle star. | | |
| **c.** Aloa se découvre une passion pour la sculpture. | | |
| **d.** Aloa a cru qu'elle était une femme d'affaires. | | |
| **e.** Pas facile d'escroquer Aloa ! | | |
| **f.** Voici la vraie Aloa : elle nous dit tout ! | | |

## Chapitres 15 et 16

## 1. Vrai ou faux ?

| | vrai | faux |
|---|---|---|
| Nina a mal à la tête parce qu'elle a reçu un coup pendant son match de *kick boxing*. | | |
| Nina est malade, elle est enrhumée. | | |
| Nina préfère se reposer quelques jours. | | |
| Siklosi est un escroc. | | |
| Siklosi aime provoquer le public. | | |
| Siklosi travaille souvent pour la publicité. | | |

**2. Les phrases suivantes contiennent une idée de cause, complétez-les.**

    **a.** Comme Siklosi .............................................. , il attire l'attention.
    **b.** A cause de ........................................, les statues de cire se sont désintégrées.
    **c.** Les statues d'Aloa n'ont aucune valeur parce que .....................

## Chapitre 17

**Complétez ces phrases.**
    **a.** Bruxelles est une .............. qui compte un million d'habitants.
    **b.** C'est la capitale de l'Europe mais il y a une ambiance .................
    **c.** On n'y est pas ......................... anonyme ......................... on l'imagine.

## Chapitres 18, 19 et 20

**Complétez le texte suivant au passé : utilisez les verbes avoir/passer/commettre/toucher.**

Le jeune homme ...................... un accident : il ............................. en voiture au milieu d'un marché d'antiquités. Il ............................. une table. Comme il conduisait sans permis, il........................................ une infraction grave.

## Chapitre 21

**À quoi ça sert ?**

    **a.** À quoi ça sert un **portable éteint** ?   Ça ne sert à rien.
    **b.** Et ............................... ?  Ça sert à mesurer le temps qui passe.
    **c.** Et ............................... ?  Ça sert à courir sans se déplacer.

**d.** Et ............................... ? Ça sert à décorer les murs.

**e.** Et ............................... ? Ça sert à transporter des objets lourds.

## Chapitre 22

**Trouvez dans le chapitre 22 les expressions qui signifient le contraire.**

    **a.** Tu crois que **je m'ennuie** ?

    **b.** Tu préfères **allumer** le moteur ?

    **c.** Son appareil photo est **en vue**.

    **d.** Je n'en peux plus de rester **debout**.

    **e.** Jacky **se sent à l'aise**.

## Chapitres 23 et 24

**1. Vrai ou faux ?**

| | vrai | faux |
|---|---|---|
| Alex est entré dans le garage en utilisant une clé spéciale. | | |
| Il a réussi à photographier les objets d'art volés. | | |
| Alex s'est caché quand Larmagnac est entré. | | |
| Larmagnac a pensé qu'Alex était un voleur. | | |
| Larmagnac conserve du matériel médical de haute précision inutilisable. | | |
| Alex a enlevé ses lunettes pour se battre contre les deux bandits. | | |

**2. Quels qualificatifs correspondent aux trois personnages ?**

| Nina | énergique, amoureux(se), introverti(e) |
|------|----------------------------------------|
| Jacky | jaloux(se), sportif(ve), nerveux(se) |
| Alex | courageux(se), efficace, attentionné(e) |

## Chapitre 25

**Trouvez dans le chapitre 25 les phrases qui signifient le contraire.**

> **a.** **Je donne** un coup de téléphone.
> **b.** **À cause de** vous, j'ai **perdu** mon procès.
> **c.** Mon client est reconnu **innocent**.

## Chapitre 26

**Faites correspondre les phrases.**

| À Bruxelles, Montgomery c'est | ce qui va se passer. |
|-------------------------------|----------------------|
| Dans un restaurant, Nina se trouve | un rond-point important. |
| Larmagnac parle distinctement | que les gens racontent leur vie au téléphone. |
| On ne peut pas prévoir | parce qu'il veut être compris. |
| Alex est étonné | à côté de Larmagnac. |

## Chapitre 27

**Complétez les phrases.**

**a.** Nous sommes tous dissimulés dans nos voitures quand

.................................................................................................

**b.** La Peugeot 205 arrive avant ...............................................

.................................................................................................

**c.** Quand la camionnette passe pour la deuxième fois ...............

.................................................................................................

**d.** Une voiture de police intervient au moment où ......................

.................................................................................................

**e.** Après l'accident, Larmagnac ............................................

**Chapitres 28 et 29**

**1. À quoi correspondent les définitions ?**

| Une escroquerie | Un vol à main armée | Un cambriolage |
|---|---|---|
| Voler l'argent d'une banque en menaçant physiquement les employés et les clients. | Entrer sans être vu dans une maison ou une voiture pour voler de l'argent ou des bijoux. | Profiter de la naïveté d'une personne pour lui prendre son argent. |

**2. De quel personnage s'agit-il ?**

**a.** C'est une personne qui obtient d'excellents résultats dans son travail mais qui utilise des méthodes inhabituelles.

**b.** C'est une personne qui mange peu et mal et qui se consacre plus à sa vie professionnelle qu'à sa vie privée.

**c.** C'est une personne que tout le monde admire mais qui a une vie privée très secrète.

**d.** C'est une personne dynamique, intuitive, qui aime l'art et qui a de l'humour.

**3. Répondez aux questions qu'Aloa pose à Alex.**

Aloa : Qu'est-ce que les policiers ont trouvé dans la voiture de Larmagnac ?

Alex :

Aloa : Et l'escroc, comment est-ce qu'il a réagi ?

Alex :

Aloa : Larmagnac vous a reconnus ? Vous lui avez parlé ?

Alex :

## Conclusion

**1. L'interview d'Aloa: répondez à sa place aux questions d'Alex Leroc. Vous pouvez aussi imaginer d'autres questions et y répondre.**

1. Aloa, pourquoi est-ce que vous êtes si discrète, si secrète ?
2. Est-ce que vous écrivez vraiment vos chansons ?
3. Qui est votre compagnon sentimental ?
4. Vous préférez l'univers de la mode ou celui de la chanson ?
5. Est-ce que vous aimez chanter en public ?
6. Est-ce que l'image que le public a des top-modèles est vraiment stéréotypée ?
7. Est-ce que vous avez définitivement renoncé au métier de top-modèle ?
8. Quelles sont vos qualités, quels sont vos défauts ?

...............................................................................................................

...............................................................................................................

**2. Placez les quinze mots suivants dans l'article d'Alex Leroc.**

*à la mode · victimes · exposition · esthétique · provocateur · acheter · cher · assurance · complice · argent · sculptures · escroc · confiance · vendre · juges*

# Pour quelques statuettes

Devinez qui c'est : c'est un artiste ........................ qui expose des ........................ biodégradables, il est hongrois et travaille beaucoup pour la publicité. Vous le connaissez ? Très bien ! Eh oui, c'est Siklosi.

Devinez encore : c'est une femme très belle, elle était topmodèle, elle a abandonné les défilés de mode et elle chante aujourd'hui des chansons qu'elle écrit elle-même. Bien sûr, c'est Aloa. Quel est le point commun entre ces deux personnalités ........................ ? Aloa et Siklosi sont tous les deux — paraît-il — froids et prétentieux. Impossible jusqu'à aujourd'hui pour le public de se faire une idée objective parce que ni Siklosi ni Aloa n'ont accordé de véritable interview. Siklosi restera probablement un mystère parce que le mystère fait partie de son art. Mais Aloa, c'est différent, elle ne faisait pas ........................ aux journalistes : aujourd'hui elle accepte de parler d'elle, en exclusivité pour *L'Avis* et nous sommes heureux de vous la présenter.

### Aloa et l'art contemporain

Vous voulez tout savoir sur elle ? Patience ! Laissez-moi d'abord vous expliquer comment j'ai rencontré Aloa. Voilà comment tout a commencé : c'était à Bruxelles, à la Galerie Maltaise, il y avait une ................ de Siklosi. Aloa était curieuse de connaître ses œuvres, son style. Elle n'aime pas spécialement l'art contemporain, elle voulait simplement comprendre cette manière très particulière de faire de l'art. En fait, Aloa avait acheté, quelques mois avant, des statuettes de l'artiste hongrois. Elle voulait investir son ......................, mais elle a fait une grosse erreur ! Pourquoi ? Parce que les créations de Siklosi sont des objets sans importance, il propose à son public des sensations, des expériences. On appelle ça de l'« ...................... relationnelle ». On aime ou on n'aime pas !

**Un ...................... très habile**

Un certain L., avec l'aide d'un ......................, a convaincu Aloa d'...................... une série de ces sculptures sans valeur réelle. Son argument était qu'elle pouvait les ...................... ensuite très ...................... et réaliser de gros bénéfices. Ce L., nous avons pu l'identifier et nous avons participé à son arrestation. C'est un véritable bandit et la police attendait depuis longtemps l'occasion de l'arrêter. Comment est-ce que nous avons pu l'arrêter ? En fait il était trop sûr de lui, il se croyait capable d'escroquer les compagnies d'......................, de mentir devant les .............. Il conservait dans un garage les objets de valeur qu'il volait lui-même ou qu'il rachetait à d'autres voleurs pour les revendre sur les marchés d'antiquités. Nous l'avons suivi, nous l'avons observé, et finalement nous avons pu faciliter son arrestation quand il a simulé un accident.

Aloa est heureuse aujourd'hui parce qu'elle va probablement récupérer son argent. Elle sait aussi que L. ne fera pas d'autres ......................

# Solutions

Les solutions suivies de ce signe -💡- sont données à titre indicatif.

## Chapitres 1 et 2

**De qui s'agit-il ?**

| Alex | Nina | Aloa | |
|------|------|------|---|
| X | | | parle mal l'anglais. |
| | X | | pratique un sport de combat. |
| | | X | porte des lunettes de soleil même s'il pleut. |
| X | | | se déplace à moto même s'il pleut. |
| | | X | ne travaille pas pour *L'Avis*. |
| X | | | travaille trop. |
| | | X | est artiste. |

## Chapitres 3 et 4

**1. Complétez les phrases.**

**a :** fâché. **b :** besoin. **c :** s'approche.

**2. Moi, toi, lui/elle, nous, vous, eux/elles ?**

**a :** eux. **b :** moi. **c :** Nous.

**3. Expliquez en quelques lignes qui est Pol Klein et quelle est sa relation avec Alex Leroc.** -💡-

Il est inspecteur principal à la police de Bruxelles. Il donne des informations à Alex. Il fréquente les cafés. Il a des méthodes particulières. Ce n'est pas un policier conventionnel.

## Chapitres 5 et 6

**1.** Parce que son chef vient à sa rencontre et ne lui laisse pas le temps d'arriver jusqu'à son bureau.
**2.** Parce qu'il n'est pas compétent en art, il ne connaît pas les artistes, il n'est pas à l'aise dans ce monde.
**3.** Parce qu'elle est malade.
**4.** Il n'est pas habillé comme eux, il n'a pas leur style.
**5.** L'artiste ne se montre pas, il passe des messages à travers une toile blanche, il ne présente pas d'œuvres d'art.
**6.** Non, seulement à Aloa.

## Chapitres 7 et 8

**1.** Elle écrit les textes et compose les musiques de ses chansons. Elle était top-modèle, elle vivait au centre des regards mais maintenant elle ne cherche plus le contact avec la presse.
**2.** Ils refusent d'accorder des interviews, ils ne font pas confiance aux journalistes.
**3.** Elle pense que tout ce qu'elle a à dire elle le dit dans ses chansons.
**4.** Elle rit parce qu'elle n'y connaît rien en art moderne. Le titre que propose Alex ne correspond pas du tout à la réalité

## Chapitre 9

**Colonne A ;** paranoïaque, fâché, jaloux, théâtral, etc.

## Chapitres 10 et 11

**1.** Elle accepte une interview à condition que les journalistes l'aident à identifier les escrocs qui l'ont volée.
**2.** Du thé, de la limonade, du lait, ...

## Chapitre 11

**Remettez dans l'ordre chronologique les différentes phases de l'escroquerie, racontées par Aloa.**

**1. Arrêtez-vous un moment sur le personnage d'Aloa, cette femme de trente-cinq ans qui était modèle et qui est devenue chanteuse.** -🔅-

**a.** Parce qu'elle les trouve trop curieux, trop sensationnalistes.
   Quand elle était top-modèle, elle a souffert de leurs préjugés.
**b.** Elle dépense beaucoup d'argent, elle a beaucoup de frais.
   Elle n'économise pas,...
**c.** Elle est belle, grande, elle a les yeux...

**2. Terminez les phrases.** -🔅-

**a.** Aloa : Vous, les journalistes, avez des moyens d'action que... je n'ai pas.
**b.** Aloa : Je suis moins riche que... vous l'imaginez.
**c.** Alex : Aloa est tellement heureuse de savoir que nous allons l'aider...
   qu'elle nous embrasse chaleureusement.

**3. Pour écrire l'article sur Aloa, quels seraient les titres adéquats et quels seraient les titres inadéquats ?**

**a** : inadéquat. **b** : adéquat. **c** : inadéquat. **d** : adéquat. **e** : inadéquat.
**f** : adéquat.

## Chapitres 15 et 16

**1. Vrai ou faux ?**

|  | vrai | faux |
|---|:---:|:---:|
| Nina a mal à la tête parce qu'elle a reçu un coup pendant son match de *kick boxing*. |  | X |
| Nina est malade, elle est enrhumée. | X |  |
| Nina préfère se reposer quelques jours. | X |  |
| Siklosi est un escroc. |  | X |
| Siklosi aime provoquer le public. | X |  |
| Siklosi travaille souvent pour la publicité. | X |  |

**2. Les phrases suivantes contiennent une idée de cause, complétez-les.**

a. Comme Siklosi **ne respecte aucune convention,** il attire l'attention.
b. À cause de **la chaleur,** les statues de cire se sont désintégrées.
c. Les statues d'Aloa n'ont aucune valeur parce que **ce sont des objets qu'il faut jeter, ce ne sont pas des oeuvres.**

## Chapitre 17

**Complétez ces phrases.**

a. Bruxelles est une **ville** qui compte un million d'habitants.
b. C'est la capitale de l'Europe mais il y a une ambiance **provinciale.**
c. On n'y est pas **aussi** anonyme **qu'**on l'imagine.

## Chapitres 18, 19 et 20

**Complétez le texte suivant au passé : utilisez les verbes avoir/passer/commettre/toucher.**

Le jeune homme **a eu** un accident : il **est passé** en voiture au milieu d'un marché d'antiquités. Il **a touché** une table. Comme il conduisait sans permis, il **a commis** une infraction grave.

## Chapitre 21

**À quoi ça sert ?**

a. À quoi ça sert **un portable éteint ?**  Ça ne sert à rien.
b. Et **un chronomètre ?**  Ça sert à mesurer le temps qui passe.

c. Et **un tapis roulant ?**  Ça sert à courir sans se déplacer.
d. Et **une affiche ?**  Ça sert à décorer les murs.
e. Et **une camionnette ?**  Ça sert à transporter des objets lourds.

## Chapitre 22

Trouvez dans le chapitre 22 les expressions qui signifient le contraire.

**a :** m'amuse. **b :** éteindre. **c :** caché. **d :** assis. **e :** est au bord de la crise de nerfs.

## Chapitres 23 et 24

### 1. Vrai ou faux ?

| | vrai | faux |
|---|---|---|
| Alex est entré dans le garage en utilisant une clé spéciale. | | X |
| Il a réussi à photographier les objets d'art volés. | | X |
| Alex s'est caché quand Larmagnac est entré. | X | |
| Larmagnac a pensé qu'Alex était un voleur. | X | |
| Larmagnac conserve du matériel médical de haute précision inutilisable. | X | |
| Alex a enlevé ses lunettes pour se battre contre les deux bandits. | | X |

### 2. Quels qualificatifs correspondent aux trois personnages ?

| Nina | courageux(se), efficace, attentionné(e) |
|---|---|
| Jacky | jaloux(se), sportif(ve), nerveux(se) |
| Alex | énergique, amoureux(se), introverti(e) |

## Chapitre 25

Trouvez dans le chapitre 25 les phrases qui signifient le contraire.

**a.** Je **reçois** un coup de téléphone.
**b. Grâce à** vous, j'ai **gagné** mon procès.
**c.** Mon client est reconnu **coupable**.

## Chapitre 26

**Faites correspondre les phrases.**

| | |
|---|---|
| À Bruxelles, Montgomery c'est un | rond-point important. |
| Dans un restaurant, Nina se trouve | à côté de Larmagnac. |
| Larmagnac parle distinctement | parce qu'il veut être compris. |
| On ne peut pas prévoir | ce qui va se passer. |
| Alex est étonné | que les gens racontent leur vie au téléphone. |

## Chapitre 27

**Complétez les phrases.**

a. Nous sommes tous dissimulés dans nos voitures quand **nous voyons une Peugeot 205 s'immobiliser.**

b. La Peugeot 205 arrive avant **la camionnette de Larmagnac.**

c. Quand la camionnette passe pour la deuxième fois **la 205 démarre et provoque un accident.**

d. Une voiture de police intervient au moment où **le conducteur tente de s'échapper.**

e. Après l'accident, Larmagnac **prétend que le matériel qu'il transportait est détruit.**

## Chapitres 28 et 29

**1. À quoi correspondent les définitions ?**

| Un vol à main armée | Un cambriolage | Une escroquerie |
|---|---|---|
| Voler l'argent d'une banque en menaçant les employés et les clients. | Entrer sans être vu dans une maison ou une voiture pour voler de l'argent ou des bijoux. | Profiter de la naïveté d'une personne pour lui prendre son argent. |

## 2. De quel personnage s'agit-il ?

**a :** Pol Klein. **b :** Alex Leroc. **c :** Aloa. **d :** Nina

## 3. Répondez aux questions qu'Aloa pose à Alex.

Aloa :   Qu'est-ce que les policiers ont trouvé dans la voiture de Larmagnac ?
Alex :   **Un dossier avec les photos des objets d'art qu'il a volés.**
Aloa :   Et l'escroc, comment est-ce qu'il a réagi ?
Alex :   **Il est devenu furieux, il s'est fâché.**
Aloa :   Larmagnac vous a reconnus ? Vous lui avez parlé ?
Alex :   **Il ne nous a pas reconnus, alors je lui ai parlé de mes lunettes. Je lui ai demandé si je pouvais faire payer ma compagnie d'assurances.**

## Conclusion

## 1. L'interview d'Aloa: répondez à sa place aux questions d'Alex Leroc. Vous pouvez aussi imaginer d'autres questions et y répondre. 

1. Parce que je n'aime pas spécialement parler de moi. Parce que je suis timide en réalité.
2. Oui, mais je présente mes textes à mes amis avant de les mettre en musique.
3. C'est mon secret, je peux seulement vous dire qu'il n'est ni top-modèle ni chanteur.
4. Je préfère le monde de la chanson, mais c'est aussi exigeant que celui de la mode.
5. Oui, le contact est très fort, très agréable.
6. Oui, les gens voient ce qu'ils veulent voir.
7. Absolument, je suis contente de l'avoir fait mais maintenant, je suis contente d'avoir quitté ce métier.
8. Je ne peux pas les distinguer

## 2. Placez les 15 mots suivants dans l'article d'Alex Leroc.

provocateur • sculptures • à la mode • confiance • exclusivité •
exposition • argent • esthétique • escroc • complice • acheter • cher
• assurance • juges • victimes